Ciro Massi[illegible]
Alessandro De Giuli

Parole Crociate
1° livello

ALMA Edizioni
Firenze

Ultima ristampa: luglio 2004

viale dei Cadorna, 44 - 50129 Firenze - Italia
Tel. ++39 055 476644 - Fax ++39 055 473531
info@almaedizioni.it - www.almaedizioni.it

Indice

1		2	3	■	4		5	6	7		■
	■	8				■	9			■	10
11				■	12	13		■	14	15	
	■		■	16			■	17			
■	18					■	19		■	20	
21		■	■	22			■	23	24		
25						■	26				■

Orizzontali

1 Ciao Paolo, ... stai?
4 Per vedere un film vado al ....
8 La Nigeria è in Africa, l'Italia è in Europa e la Cina è in ....
9 Un tempo di sessanta minuti.
11 Mi chiamo Anna Porta: Anna è il .... e Porta è il cognome.
12 Io, tu, lui, lei, ..., voi, loro.
14 Roma-Tunisi-Instanbul.
16 Ieri ho lavor...... tutto il giorno.
17 Buona......., signor Bertini!
18 Io parlo, tu parli, lui ....
19 ExtraTerrestre.
20 "Uscire" è il contrario di "....trare".
21 Aspetta un momento, vengo con ....!
22 Uno, due e ....
23 Un periodo di dodici mesi.
25 "..........!" "Prego!"
26 Quando mangio, posso bere .... bianco o rosso.

Verticali

1 

2 Ogni bambino ha un papà e una ....
3 Per imparare l'italiano devo fare molti .....rcizi.
4 Parlare con la musica!
5 Io e te.
6 Puoi rispondere al telefono, p.... favore?
7 L'Italia è nel .... Mediterraneo.
10 La mia amica abita al secondo .... di questo palazzo.
13 Ovest-Ovest.

15 

16 I giocatori di basket sono molto ....
17 Io sto, tu ...., lui sta.
18 Domani parto .... Milano.
21 TeleGiornale.
24 Nord-Nord.

1	2	3	■	■	4		5	6		■	7
8			9	10		■	11		■	12	
	■	13				14	■	15	16		
■	17		■		■	18	19				
20			21			■	22				■
	■	23			■	24					
■	25			■	26		■		■		■

Orizzontali

1 Io abito a Roma in .... Giuseppe Verdi n. 12.
4 Viene dopo la sera e prima della mattina.

8

11 .... scrivo, tu scrivi, voi scrivete.
12 Associazione Giornalisti.
13 Ci vediamo domani, ...notte!
15 Lo sport della boxe si fa sul ....
17 Ursula abita a Roma, ma è .... Berlino.
18 Viene dopo domenica e prima di martedì.
20 Carlo è magro, pesa solo 60 kg; Mario è molto .... , pesa più di 100 kg!
22 Io sarò, tu sarai, lui ....

23  .... Tse - Tung.
24 Il contrario di "vivere".
25 Tu vai, ... andiamo, loro vanno.
26 Il contrario di "no".

Verticali

1 Io vado, tu ...., lui va.
2 Questo bambino è .... figlio di Sandra.
3 Io ho, tu hai, lui ha, noi ....
4 "Vuoi una sigaretta?" "No grazie, ... fumo".
5 ".......... piace Roma?" "No, non mi piace".
6 Il contrario di "partire" è "ri........".
7 Il giorno dopo ieri.
9 Europa Unita.
10 Il colore del sangue.
12 Stasera voglio .... al cinema.
14 "Dov'è Aldo?" "È .... bar".
16 Il giorno prima di oggi.
17 Deposito Registri.
19 Io ...., tu usi, lui usa.
20 Io pa....., tu paghi, lui paga.
21 Io so, tu ...., lui sa.
24 La mattina .... alzo alle 8.00.

Metti le parole sotto il disegno giusto.

albero - arancia - bambino - cane - casa - cavallo - gatto - libro - luna

mela - mucca - panino - penna - pera - pesce - sedia - sole - uva

 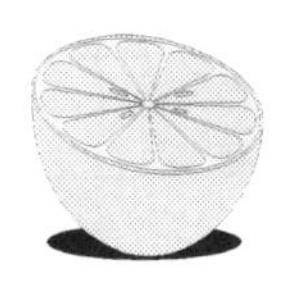  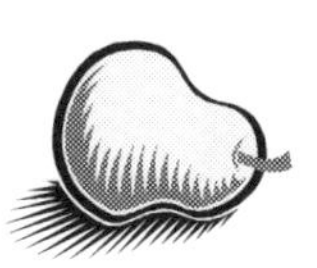  

....

....

....

Soluzioni pag 46.

1		2	■	3	4	5		6
	■	7					■	
■	8		■	9				
10			11		■		■	
■		■		■	12		13	
14								■
15		■		■	16			17
	■	18				■	19	

Orizzontali

1 Le sorelle della mamma o del papà.
3 Un tipico piatto italiano.
7 Tu sei, noi ...., voi siete.
8 Avanti Cristo.

9 

10 Il singolare di "amiche".
12 Finisco di lavorare .... cinque e mezza.
14 Due bambini che hanno gli stessi genitori sono ....
15 Associazione Estetiste.
16 Il numero prima di "uno".

18 

19 Voglio fare un regalo .... miei nonni.

Verticali

1 Ogni giorno bevo due taz..... di caffè.
2 Io esco, tu ...., lui esce.
3 Nella mia famiglia siamo in tre: io, mamma e ....
4 Io ...., noi amiamo, voi amate.
5 Io ho un fratello e due ....
6 "Odiare" è il contrario di "..........".

8 

11 Roma è una .... molto antica.
12 Io mi alzo, lui si ...., voi vi alzate.
13 La moneta americana è il dollaro, la moneta italiana è la ....
14 Io faccio, tu ...., lui fa.
17 Io leggo, loro leggono, n...... leggiamo.

La famiglia 2

Orizzontali

1 Per la religione cristiana Adamo è il primo .... ed Eva la prima donna.
4 Io faccio, lui ...., noi facciamo.
5 Io abito .... Francia.
6 Aldo e Luigi sono .... 1 metro e 90.
8 Io amo, tu.........., lui ama.
9 .... amici di Carlo sono molto simpatici.
12 Io vivo con mia ...... e i nostri due bambini.

14 

16 ".......... chi è questa borsa?" "È mia!"
17 Un tempo di sessanta minuti.
19 "Mi ....?" "Sì, ti amo!"
21 ....giorno, signor Marchi. Come va?
23 "Quando parte il tuo treno?" ".......... un'ora".
24 Mio padre e mia .... sono sposati da trent'anni.
26 "È .... questa penna?" "Sì, è mia".
28 La mamma prepara il pranzo .... bambini.
29 Il papà del papà.
30 Noi mangiamo, loro mangiano, ... mangi.
32 Maria parla molto bene l'inglese e .... spagnolo.
33 Devo telefonare .... miei genitori.
34 "Scusi, sa dov'è via delle Isole?" "No, ... lo so".

■	1		2	3	■	4		■
5		■	6				■	7
	■	8			■	9	10	
■	11	■	12		13			
14		15		■	16		■	
17			■	18	■	19	20	
	■	21			22	■		■
23			■	24		25		
	■	26	27		■	28		■
■	29					■	30	31
32		■	33		■	34		

Verticali

1 Vuoi .... altro biscotto?
2 Tutti i bambini hanno un papà e una ....
3 Si mette nell'insalata con il sale.
4 Questa bambina è la .... di Sara e Ugo.
5 .... padre di Giulia è malato.
7 Sette, otto, nove e ....
10 "Dove sono i soldi?" "........ ha presi Aldo".
11 Per prendere il caffè o il cappuccino vado al ....
13 Gran Ducato.
14 Al ristorante devo pagare il ....
15 È tra venerdì e domenica.
18 Il giorno dopo oggi.
20 Laura e suo .... sono sposati da vent'anni.
22 Io sono ....to a Roma il 22 marzo del 1978.
25 .... quanto tempo abiti in questa città?
27 Loro sono .... grande famiglia.
29 Una risposta negativa.
31 Io ho .... fratello e una sorella.

Orizzontali

1 Case, abitazioni. - **10** Il colore della campagna. - **11** Esempio. - **12** Un viaggio in Africa tra tigri e leoni. - **13**  - **16** Tribunale Civile. - **17** - **19** SOS. - **21** "Conosci questo film?" "Sì, l'ho .... visto". - **23** Il contrario di "no". - **24** Un mare grande come l'Atlantico, il Pacifico, o l'Indiano. - **26** La sorella della mamma. - **27** Tra cinque e sette. - **28** "Vuoi una sigaretta?" " .... grazie, non fumo". - **30** "È ...... questo libro?" "Sì, è mio". - **32** Io .... guardo mai la tv. - **34** Chiudi .... porta, per favore. - **35** Mario esce tutte le sere .... Paola. - **36** La "casa" della macchina.

1	2		3	4	5	6	7			8	9
■		■	10					■	■	11	
12						■	13	14	15		
16		■		■	17	18				■	
19		20			■		■	■	21	22	
	■	23		■	24			25			■
26			■	27			■	28		■	29
	■	30	31		■	32	33		■	34	
■	35			■	36						■

Verticali

2 Io piaccio, tu ...., lui piace. - **3** Il contrario di "indietro". - **4** Rete Elettrica Romana. - **5** Tre carte uguali a poker. - **6** Alleanza Democratica. - **7** - **8** Primo, secondo e .....zo. - **9** Una terra in mezzo al mare, come la Sicilia o la Sardegna. - **12** Camera. - **14** Cosa dice .... giornale oggi? - **15** Toilette. - **18** La parte della casa dove si prepara da mangiare. - **20** Il passato prossimo del verbo "usare" è "ho ...." - **22** ...., tu, lui, lei, noi, voi, loro. - **24** Ovest-Est. - **25** Lev Tolstoij ha scritto "......... Karenina". - **27** Io ...., noi sappiamo, loro sanno. - **29** José viene .... Madrid. - **31** Ho .... appartamento in città e uno in campagna. - **33** "Che .....e sono?" "Le due e mezza". - **34** Mi piacciono .... case con il giardino.

Orizzontali

1 "Prendi qualcosa?" "No grazie, ho .... mangiato". - **4** - **7** Noi sappiamo, voi sapete, lui .... - **9** Il contrario di "brutta". - **10** È un uomo coraggioso, non ha .... di niente. - **13** Accendi la ...., perché non vedo niente. - **15** "Ti piace il gelato?" "No, non .... piace". - **16** Io abito in via Verdi, al settimo .... di un grande palazzo. - **19** La mia casa ha un soggiorno, una cucina, un bagno, e una .... da letto. - **21** Diciotto, diciannove e .... - **23** Noi ridiamo, voi ridete, lei .... - **24** Riserva Speciale. - **26** Terrazza con grandi finestre. - **28** C'è un bel film alla ......visione. - **30** Dopo. - **32** Domani devo and.......... dal medico. - **33** Il cavallo è un .... molto veloce. - **37** Tornate .... vostri posti. - **38** 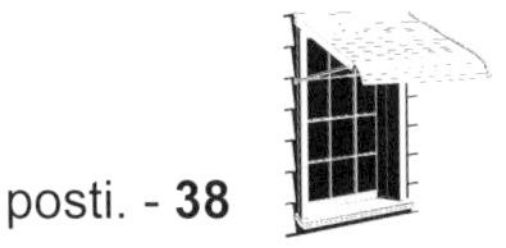

Verticali

1 Gran Bretagna. - **2** ...., oggi e domani. - **3** Vuoi venire .... mare? - **4** La stanza più grande della casa. - **5** - **6** ".....rire" è il contrario di "chiudere". - **7** Il contrario di "giù". - **8** - **11** Io amerò, tu amerai, lui .... - **12** Io voglio molto bene .... miei nonni. - **14** Educazione Artistica. - **16** - **17** Io ho, tu hai, voi .....ete. - **18** Scende dal cielo come la pioggia ma è più fredda. - **20** Ogni domanda vuole una ....sposta. - **22**  - **25** Viene dopo il pomeriggio e prima della notte. - **27** Io mi chiamo Paolo Neri: Paolo è il .... e Neri è il cognome. - **29** Mi scusi signorina, ... è straniera? - **30** Domani mattina parto .... Venezia. - **31** Dov'è .... bagno? - **33** Associazione Federale. - **34** Da quanto tempo abiti .... questa casa? - **35** Associazione Sportiva. - **36** Locali Turistici.

Orizzontali

1 Un posto dove tutti vanno per comprare. **- 5**

- 8 Io so, tu........, lui sa. - **11** Un secolo è un periodo di cento an..... - **12** Tutti mi chiamano Pietro, ma sul passaporto ho due ....: Pietro e Paolo. - **13** Il cane è il migliore amico ....'uomo. -**14** Gli aerei partono dall'aeroporto e i treni dalla .... - **19** Nota Bene. - **20** La domenica i cattolici vanno .... chiesa. - **21** Io vado spesso ...... cinema. - **22**

- 24 "Buongiorno" tra amici. - **27** Lui si chiama Marco e .... Sandra.

- **29** ♥ **- 30** Dopo. - **32** Io .... chiamo Paolo, e tu? - **33** Il treno della città. - **38** Noi abbiamo, voi avete, lei .... - **39** ...... ho ventidue anni, e tu? - **40** I semafori possono essere rossi, verdi o ....

Verticali

2 Il contrario di "tu esci" è "tu..........". - **3** Ha solo ventidue anni ma ha .... una moglie e tre figli! - **4** Marco è part....... con il treno delle 5.00. - **5** Buongiorno signor Bellucci, ...me sta? - **6** Per il mio compleanno voglio invitare tutti i miei .... - **7** Il contrario di "no". - **8** Non possiamo entrare in questa strada, è a ".......... unico"! - **9** Il Grand Hotel e il Rossini hanno cinque stelle e sono gli .... più cari della città. **- 10** .... sabato e la domenica non lavoro. - **12** I tuoi libri sono ....'altra borsa. - **15** Il fratello del papà. - **16** Samuel vive .... Africa. - **17** Colazione, pranzo e ce........... - **18** Il contrario di "lontana". - **23** La Cina è in Asia e l'Italia è in ....ropa. - **24** Tu .... ti chiami? - **25** Il contrario di "bassi". - **26** Poi. - **28** Io ero, tu ...., lui era. - **30** Poco **- 31** Tu ed .... stiamo bene insieme. - **32** Il contrario di "sempre". - **34** La capitale d'Italia è ....ma. **- 35** .... zio di Paola abita a New York. - **36** TeleGiornale - **37** Domenica voglio andare .... mare.

1	2	3			4		■	5	6	7		■	8	9	10
■	11		■	■		■	12				■	13			
14			15	16		17		■		■	18	■	19		■
■		■	20		■	21		■	22			23			■
24		25		■	26	■	27	28		■	29				
	■		■	30		31	■		■	32		■	■		■
33			34				35		36			37	■	38	
	■	39		■		■		■	40						■

1	■	2		3	4		■	5	■	6	■	7	8	■
9	10		■	11		■	12		13		14			15
16			17		■	18				■	19			
20		■	21				■	22		23		■		■
24					■	25	26	■	■		■	■	27	28
	■	■		■	29	■	30		31			32		
33		34		35				■	36		■		■	
■	■	37			■	■	38				39	■	40	
41	42				43	■		■			44	45		
46			■	47			■	48					■	

Orizzontali

2 Per prendere o cambiare i soldi vado in .... – **7** Ciao Luca, come ....ai? – **9** Napoli è .... città molto bella. – **11** Posso avere .... po' d'acqua? – **12** – **16** Un abitante di Instanbul. – **18** La notte senza luna è .... – **19** La Cina e l'India sono in .... – **20** Operai Democratici. – **21** Cinque, sei, sette e .... – **22** Il contrario di "bassi".

– **24** ← – **25** "Neve" senza "e". – **27** Io esco, noi usciamo, loro escono, ... esci. – **30** L'incontro di due strade. – **33** Il contrario di "destra". – **36** ExtraTerrestre. – **37** Tu sei, noi siamo, loro s......... – **38** Quale .... della metropolitana devo prendere: la rossa, la verde o la blu? – **40** Io abito a Napoli ma sono .... Roma. – **41**

– **44** ....e. – **46** Dall'altra parte del nord. – **47** Finisco di lavorare ....'una e trenta. – **48** Per spedire una lettera o un telegramma vado alla ....

Verticali

1 – **2** Tutte le mattine vado al .... a bere un caffè. – **3** Lui .... , noi nuotiamo, voi nuotate. – **4** Comitati Nazionali. – **5** Viene dopo il pomeriggio e prima della notte. – **6** Patrick viene .... Amsterdam. – **7** Il segnale per chiedere aiuto in mare. – **8** Infelici. – **10** Un uomo senza vestiti è .... - **12** ...... tu non studi, non impari l'italiano. – **13** Non sto bene, ho .... di testa. – **14** "Tu che lavoro ....?" "Sono un insegnante". – **15** Organizzazione Artistica. – **17** Una droga bianca come lo zucchero. – **18** .... bere troppo! L'alcool fa male. – **23**

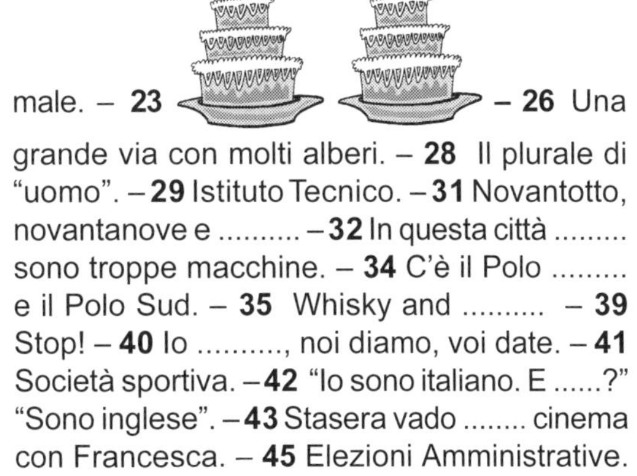

– **26** Una grande via con molti alberi. – **28** Il plurale di "uomo". – **29** Istituto Tecnico. – **31** Novantotto, novantanove e .... – **32** In questa città .... sono troppe macchine. – **34** C'è il Polo .... e il Polo Sud. – **35** Whisky and .... – **39** Stop! – **40** Io ...., noi diamo, voi date. – **41** Società sportiva. – **42** "Io sono italiano. E ......?" "Sono inglese". – **43** Stasera vado .... cinema con Francesca. – **45** Elezioni Amministrative.

Orizzontali

1 Prendiamo un caffè .... bar?

3

6 Maria ha .... amico molto simpatico.

8

10 Io ero, tu eri, loro ....

11 Il contrario di “falso”.

12 Roma è una .... molto grande.

15 Prendiamo .... macchina o l’autobus?

16 Noi andiamo, voi andate, io ....

17 Noi sappiamo, voi sapete, io...........

18 Società Auto Trasporti.

19 .... chiavi sono sul tavolo.

20 Noi diciamo,voi dite, tu...........

22 Uno, due e ....

24 Una terribile malattia che si trasmette per via sessuale.

25 Io, tu, lui, lei, noi, ..., loro.

Verticali

1 Una persona molto vicina.

2 Nel caffè non metto .... zucchero.

3

4 Il contrario di “bianco”.

5 Noi, eravamo, voi eravate, io...........

6 Quattro, tre, due, ...

7 Il contrario di “sì”.

9 Il contrario di “sopra”.

13

14

16 Noi andiamo, voi andate, lui ....

17 Il numero dopo “cinque”.

18 Una risposta positiva.

19 .... tua casa è molto bella.

20 Democratici di Sinistra.

21 Nella borsa .... sono due libri.

23 Il giorno prima di oggi è ie...........

Orizzontali

1 

4 Il .... Mediterraneo divide l'Italia dall'Africa.

7 Voglio telefonare .... miei genitori.

8 

9 Il numero prima di "sette".

11 Tu .... dove sei?

12 Oggi non mi sento molto ....

14 

17 "Prendi qualcosa?" "No grazie, ... prendo niente".

19 Io vado sempre .... cinema.

20 Strade.

23 

26 Avanti Cristo.

28 Noi abbiamo, voi avete, io ....

30 I .... dei miei figli cominciano tutti con la lettera "a": Antonio, Aldo e Alessandra.

31 

34 Maurice abita .... Francia.

35 Un saluto tra amici.

36 Esercito Italiano.

6 

10 Puoi chiudere la porta, ... piacere?

12 "Ciao, come va?" "......ne, grazie".

13 Sette, otto e ....

15 ..... mia ragazza si chiama Eva.

16 Il colore del cielo.

17 .... sport l'importante non è vincere ma partecipare.

18 Una risposta negativa.

21 Preferisci .... riso o la pasta?

22 

24 Molto elegante, di gran classe.

25 Ciao Paolo, ...me stai?

27 Vuoi venire .... me al cinema?

29 In italiano quando non conosco una persona non uso "tu" ma ....

Verticali

1 Tipico piatto italiano.

2 Noi sappiamo, voi sapete, tu ....

3 Se vuoi venire, non .... sono problemi.

4 Un periodo di trenta o trentuno giorni.

5 Di solito la domenica mangio .... ristorante.

31 Io faccio, voi fate, lui ....

32 ...., tu, lui, lei, noi, voi, loro.

33 Do, ..., mi, fa, sol, la, si.

1	2		3	4	5		■	6	■	7
8		■	9			■	10		11	
	■	12					■	13		
14	15		■	16		■	17		■	
18			19		■	20				
21		■	22				■		■	
	■	23			■	24	25			
26				■	27				■	■

Orizzontali

1 Uno, due, tre e ....
8 Il Louvre è .... museo molto grande.
9 Io f.........., tu farai, lui farà.
10 In un anno sono dodici.
12 Al supermercato faccio la ....
13 Il fiore è .... vaso.
14 Roma - Atene - Edimburgo.
16 Però.
17 Ciao Paolo, come ....ai?
18 Persone molto vicine a noi.
20 Il contrario di "vecchio".
21 Il contrario di "sì".
22 Il contrario di "bassa".
23 Io ho un appartamento in città e .... casa in campagna.
24 Il numero prima di otto.
26 Periodi di 365 giorni.
27 Il contrario di "molto".

Verticali

1 Trentotto, trentanove e ....
2 Io faccio .... lavoro molto interessante.
3 Fred Astaire balla il tip - ....
4 Scrivi il numero 3.000.
5 Un colore molto femminile.
6 Scrivi il numero 28.
7 Un numero con sei zeri.
11 La parola per fare ipotesi in italiano.
12 Il numero dopo "cinque".
15 "Mi ami?" "Sì, ti ....".
17 Il contrario di "giù".

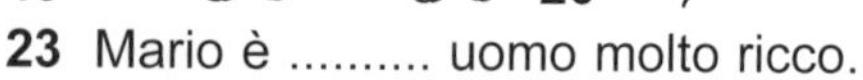

19 **20**

23 Mario è .... uomo molto ricco.
25 Ente Comunale.

In queste liste c'è una parola di troppo. Sai scoprire qual è?

a) papà, zio, nonno, cugino, figlio, medico, genitori, fratello, sorella.

b) sale, orecchio, gamba, braccio, naso.

c) giacca, cravatta, pantaloni, chiavi, camicia, cappello, gonna.

d) mela, pera, banana, uva, pomodoro, arancia.

Soluzioni pag 46.

1		2	3	4		5			6	7		8
		9						10			11	
12					13		14				15	
		16		17						18		
19	20		21					22	23		24	
	25						26			27		
28					29	30						31
32			33	34								
		35					36					

Orizzontali

1 Scrivi il numero 22.
6 Noi andiamo, voi andate, lui ....
9 Io ...., tu eri, lui era.
10 Scrivi il numero 10.
12 Scrivi il numero 9.
14 Scrivi il numero 2.
15 .... mio insegnante d'italiano è molto bravo.
16 Il contrario di "uscire".
18 La macchina .... mio amico è rossa.
19 Loro sanno, noi sappiamo, ... so.
21 Scrivi il numero 3.
22 Nella borsa .... sono due libri.
24 ...... amiche di Lia sono molto simpatiche.
25 Il numero sedici sta .... quindici e diciassette.
26 Scrivi il numero 100.
28 Unione Trasportatori.
29 Marco fa .... medico.
32 Il contrario di "sì".
33 Noi usciamo, voi uscite, loro escono, io ....
35 Noi diciamo, voi dite, tu ....
36 Scrivi il numero 12.

Verticali

1 Scrivi il numero 20.
2 Scende dal cielo come la pioggia ma è più fredda.
3 Scrivi il numero 36.
4 Voi preferite, loro preferiscono, ... preferisco.
5 .... anno fa ho cambiato lavoro.
6 Strade.
7 Associazione Estetisti.
8 Scrivi il numero 1000.
10 Scrivi il numero 200.
11 Gli uccelli volano nel ....
13 Scrivi il numero 13.
14 Democratici Repubblicani.
17 Ventotto, ventinove e ....enta.
20 Scrivi il numero 8.
23 Kurt abita .... Germania.
27 Macchina pubblica.
28 Il primo numero.
30 Anna parla l'inglese, il tedesco e .... spagnolo.
31 Scrivi il numero 6.
34 Gli studenti vanno a .....uola.

Orizzontali

1 Una parola più piccola per dire "poco". – **2** Una parola più familiare per dire "madre". – **5** Il contrario di "su". – **7** Che tempo .... oggi? – **8** Noi usciamo, voi uscite, ... esco. – **9** Librerie Romane. – **10** L'anno .... sono andato in America, quest'anno vado in Africa e l'anno prossimo andrò in Asia. – **13** Mia, ..., sua, nostra, vostra, loro. – **14** Il contrario di "lunghe". – **15** Persona di sesso femminile. – **17** Il terzo giorno della settimana. – **18** Noi cadiamo, voi cadete, tu .... – **19** ....co – **22** Il quarto giorno della settimana. – **24** "Quanti giornali leggi ogni giorno?" "........... leggo due". – **25** Associazione Socialista Giovanile. – **27** Tu giochi, noi giochiamo, loro gioc............... – **28** "Ti piace il mare?" "No, ... mi piace". – **29** Un saluto tra amici. – **31** Io sono Paolo, e tu .... ti chiami? – **32** "Da oggi ho venticinque anni". "Allora........... compleanno!" – **33** Motorino, piccola motocicletta per la città. – **34** Unione Scrittori. – **35** Mia nonna è .... nel 1912 ed è morta nel 1994. – **37** Società Trasporti. – **38** Il sesto giorno della settimana. – **39** Sette, otto, nove e ....

Verticali

1  – **2** Il secondo giorno della settimana. **3** ...., tuo, suo, nostro, vostro, loro. – **4**  ....ntagna. – **5** Il contrario di "piccoli". – **6** ...., due, tre, quattro e cinque. – **7**  – **9** Il primo giorno della

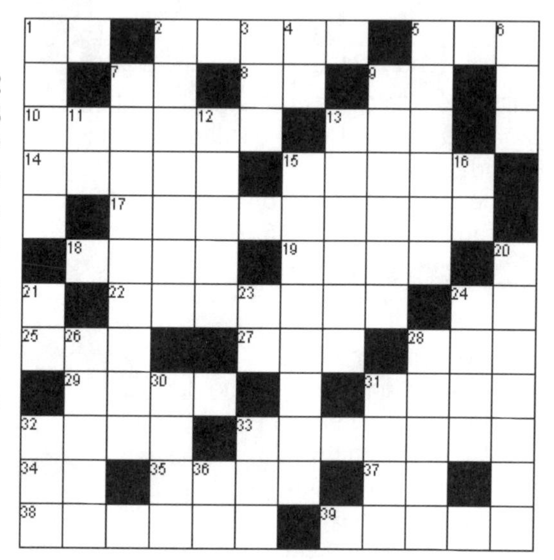

settimana. – **11** Che .....sa hai fatto ieri? – **12** Mario non ride mai, è sempre molto .... – **13** Una città spagnola famosa per le sue – **15** L'ultimo giorno della settimana. – **16** Ho dato il latte .... bambini. – **20** Il quinto giorno della settimana. – **21** Io e Sandra siamo sposati .... cinque anni. – **23** Noi andiamo, voi andate, lui .... – **24** Mi chiamo Luigi Del Monte: Luigi è il .... e Del Monte è il cognome. – **26** Una parola per chiedere perdono quando facciamo qualcosa di sbagliato. – **28** Viene dopo la sera e prima della mattina. – **30** Un nome di donna. – **31** "Come va?" "Così .....". – **32**  Auto.... – **33** Noi stiamo, tu stai, io .... – **36** Agenzia Turistica.

Orizzontali

1 Quella è la casa ..... medico. – **5** L'ottavo mese dell'anno. – **11** Una parola per salutare gli amici. – **13** Devo telefonare a Carlo, ma la .... è sempre occupata. – **14** Chiudi la finestra, ... favore. – **15** Giudice Costituzionale. – **16** Ogni giorno ricevo molta ....: lettere, cartoline, biglietti d'invito, ecc. – **18** Come .... chiami? – **19** Maria vive .... Sicilia. – **20** .... finisco, voi finite, loro finiscono. – **21** ExtraTerrestre. – **22** – **24** L'ultimo mese dell'anno. – **28** Accademia Militare. – **29** Gli uccelli possono volare perché hanno le .... – **30** Non bisogna dare il caffè .... bambini. – **31** Il quinto mese dell'anno. – **34** Il numero tra "otto" e "dieci". – **36** Rifondazione Comunista. – **37** Il contrario di "brutto". – **38** Il plurale di "oro". – **39** Loro si alzano, noi ci alziamo, tu ti .... – **41** Istituto Internazionale. – **43** Giusto, corretto. – **44** Il contrario di "falso". – **45** Sopra, in alto.

1	2	3	■	4	■	5	6	7	8	9		■	10	■
■	11		12		■	13					■	14		
15		■	16		17			■	18		■	19		■
20		■		■		■	■	21		■	22			23
	■	24		25		26	27			■		■	28	
	■	29			■	30		■	31	32		33		
34	35			■	■	36		■	37					■
38			■	39	40			■		■	41		■	42
■	43						■	44				■	45	

Verticali

2 "Dov'è il mio libro?" ".......lo!" – **3** "Conosci quei ragazzi?" "No, non .... conosco". – **4** Un parco organizzato con molti animali. – **5** Stop! – **6** "Vuoi un panino?" "No, grazie, ho .... mangiato". – **7** Organizzazione Naturisti. – **8** Il mese prima di ottobre. – **9** Io sto, tu s......, lui sta. – **10** Il primo mese dell'anno. – **12** Il quarto mese dell'anno. – **14** Roma è la .... grande città italiana. – **15** Il sesto mese dell'anno. – **17** Mie, tue, ..., nostre, vostre, loro. – **21** Ente Regionale. – **22** Il settimo mese dell'anno. – **23** Noi amiamo, loro amano, io .... – **24** Una famosa Coppa nel tennis. – **25** In un anno .... sono dodici mesi. – **26** Il mese dopo febbraio. – **27** ....cletta – **32** Associazione Estetiste. – **33** Molte donne non amano .... uomini con la barba. – **35** Periodi di sessanta minuti. – **39** Agenzia Turistica. – **40** Lecce -Torino. – **42** Io, ..., lui, lei, noi, voi, loro.

1	2		3		■	■	4	5	6		7	■	8	9
10		■		■	11					■	12			
13		14		15		■	16		■	17		■	■	
■	18		■	19		■		■	20				21	■
22				■	23	24			■	25		■	26	
■	27		■	28	■	29		■	30			31		■
32		■	33		34			■		■	35			36
37				■		■	38			39		■	40	
■		■	41	42		43		■	44		■	45	■	
46							■	47					■	

Orizzontali

1 Posso avere un bicchiere d'...... minerale? – **4** – **8** .... marito di Carla ha un ristorante in centro. – **10** Però. – **11** Marta cucina molto bene, ma Giovanna è più .... – **12** ..... e pepe. – **13** Il mese dopo marzo. – **16** La mattina .... alzo alle 8.00. – **17** Firenze - Palermo. – **18** Vuoi ancora un .... d'insalata? – **19** Organizzazione Volontari – **20** – **22** "Vuoi una sigaretta?" "No grazie, non ....". – **23** ...., oggi e domani. – **25** Sono .... sette e dieci. – **26** Non mangio il pesce perché non .... piace. – **27** Abito in una ......sa di due stanze. – **29** Una risposta positiva. – **30** Un tipico piatto italiano. – **32** Avanti Cristo. – **33** I bambini molto piccoli bevono solo .... – **35** Viene dopo il pomeriggio e prima della notte. – **37** Il contrario della "morte". – **38** Se il conto è di 16.000 lire e noi paghiamo con 50.000 lire, dobbiamo avere il .... – **40** Hans abita .... Germania. – **41** La mattina bevo una .... di tè. – **44** Io, ... lui, lei, noi, voi, loro. – **46**

– **47**

Verticali

1 Io amo, tu ami, lui .... – **2** Latte + caffè al bar. – **3** Il plurale di "uso". – **4** Al ristorante, porta i piatti ai clienti. – **5** Io mangiavo, tu mangi......, lui mangiava. – **6** Che lavoro .... Luigi? – **7** Un caffè al bar. – **8** Ci porta .... conto, per favore? – **9** Lui si chiama Aldo e .... Laura. – **11** Tu .... molto vino? – **14** La capitale d'Italia. – **15** In Italia .... sport più popolare è il calcio. – **17** Prima di pagare alla cassa, devo fare la .... e aspettare il mio turno. – **21** Il plurale di "amaro". – **24** Nord, sud, ..., ovest. – **28** Tu .... dove vieni? – **30** Possiamo sederci qui, ci sono due .... liberi. – **31** Aspettami, vengo con ....! – **32** Io ho, tu hai, voi ....ete. – **33** Nel triangolo sono tre. – **34** Il plurale di "tizio". – **36** Ha 365 giorni. – **39** Mie, ..., sue, nostre, vostre, loro. – **42** Associazione Zoologica. – **43** Prendo una piz............

margherita. – **45** Il contrario di "no".

Orizzontali

1  - **6** Il pranzo della sera. - **8** Bevi .... vino o la birra?

- **9** - **12** - **13** Prima di uscire dal ristorante, bisogna pagare il .... - **15** Questa è la mia ......ova casa, ti piace? - **16** Domani mattina mi devo .... presto. - **19** A che ora hai fin..... di lavorare oggi? - **21** Nella frutta .... sono molte vitamine. - **22** La sua capitale è Teheran. - **23** Europa Unita. - **24** Il contrario di "giù". - **25** "Resti a cena da noi?" "......... grazie, non posso". - **26** Lecce-Torino. - **27** La musica "parlata" dei giovani neri americani. - **29** ......giorno, Maria! Come va? - **30** Ci porta una bottiglia d'acqua, p..... favore? - **31** Un tempo di sessanta minuti. - **32** .... caffè ho messo due cucchiaini di zucchero.

1	2		3	4	5	■	6		7	
8		■	9			10		■		■
	■	11	■	■	12					
13			14		■	■		■		■
	■	15		■	16			17		18
19	20		■	21		■	22			
23		■	24		■	25		■	26	
27		28	■	29				■	30	
	■	31			■	32			■	

Verticali

1 - **2** Andiamo .... mare, domenica? - **3** Puoi ....rire la porta, per piacere? - **4** Il contrario di "sì". - **5** Associazione Liberale Giovanile. - **6** Il pranzo della mattina. - **7** Come preferisci l'acqua: .... o gassata? - **10** Di solito compro .... arance al mercato. - **11** Un periodo di 365 giorni. - **14** Io, ..., lui, lei, noi, voi, loro. - **16** Non va bene dare troppi dolci .... bambini. - **17** Michelangelo è stato un grande ....tista. - **18** Il contrario di "io esco" è "io ....". - **20** Mia, ... sua, nostra, vostra, loro. - **21** Il paese di Fidel Castro. - **25** "Sai dov'è Carlo?" "No, ... lo so". - **28** Per stare bene devi fare un .... di sport.

Orizzontali

1 – 5

– 9 – 10 – **11** Neo Comunisti. – **13** Istituto Urologico.

– **14** – **16** Nel cappuccino c'è il caffè e il .... – **18** "Io sto uscendo, tu resti qui?" "No, vengo con ....!" – **19** Tu come .... chiami? – **20** Per bere un caffè vado al .... – **21** L'arte del vestire. – **23** Il contrario di "no". – **24**

– **26** Io vengo, tu vi........, lui viene. – **28**

.... e pepe – **30** .... arance hanno molte vitamine. – **31** Aldo ha vent'anni e Carlo venticinque: Aldo è .... giovane di Carlo. – **33** Un tipico piatto cinese. – **35** Io mangio tre volte al giorno: a colazione, a .... e a cena. – **36** Gli uccelli possono volare perché hanno le ....

Verticali

1 In Italia .... sono dei ristoranti molto buoni. – **2** Per vivere dobbiamo respirare l'...........

– **3** – **4** Io faccio, tu fai, lui .... – **5** Un tipico piatto italiano. – **6** Una squadra di calcio di Milano. – **7** Le sorelle della mamma o del papà. – **8** African National Congress – **9** Il contrario di "cattivo" è "...........ono". – **10** "Conosci Venezia?" "No, non .... sono mai stato". – **12** I vegetariani non mangiano la .... – **14** A mezzogiorno mangio un panino e ....vo una birra. – **15** Il pranzo della sera.

– **16** – **17** "........ piace il formaggio?" "No, non mi piace". – **20** Una ripetizione "extra" a teatro o all'opera dopo la fine dello spettacolo.

– **21** – **22** Posso avere un altro po' .... vino? – **24** – **25** – **27** Io abito a Roma, in .... del Gallo n° 7. – **29** "Mi ami?" "Sì, ti ....". – **31** Pubbliche Relazioni. – **32** Sto leggendo .... libro molto interessante. – **34** .... Canada è in Nord America.

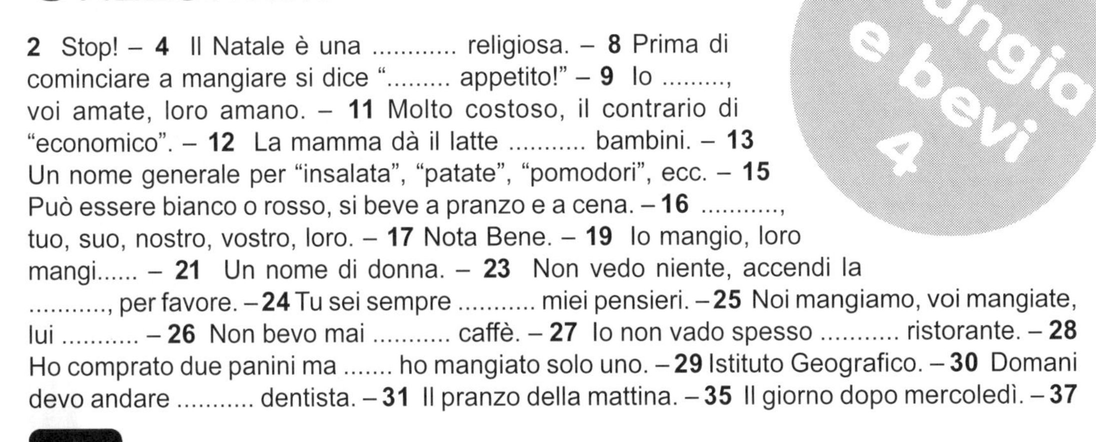

Orizzontali

2 Stop! – **4** Il Natale è una .... religiosa. – **8** Prima di cominciare a mangiare si dice "......... appetito!" – **9** Io ...., voi amate, loro amano. – **11** Molto costoso, il contrario di "economico". – **12** La mamma dà il latte .... bambini. – **13** Un nome generale per "insalata", "patate", "pomodori", ecc. – **15** Può essere bianco o rosso, si beve a pranzo e a cena. – **16** ...., tuo, suo, nostro, vostro, loro. – **17** Nota Bene. – **19** Io mangio, loro mangi...... – **21** Un nome di donna. – **23** Non vedo niente, accendi la ...., per favore. – **24** Tu sei sempre .... miei pensieri. – **25** Noi mangiamo, voi mangiate, lui .... – **26** Non bevo mai .... caffè. – **27** Io non vado spesso .... ristorante. – **28** Ho comprato due panini ma .... ho mangiato solo uno. – **29** Istituto Geografico. – **30** Domani devo andare .... dentista. – **31** Il pranzo della mattina. – **35** Il giorno dopo mercoledì. – **37** – **39** Il numero "uno" in inglese. – **40** – **41** Voglio .... piatto di spaghetti con il pomodoro.

■	1	■	2		3	■	4		5	6	7	■
8				■	9	10		■	11			
12		■		■	13			14				■
	■	15				■	16			■	17	18
19	20		■	■	21	22		■	23			
24			■	25						■	26	
27		■	28		■	29		■	■	30		
■	■	31			32			33	34		■	
35	36						■	37			38	■
■	39			■	40					■	41	

Verticali

1 Il maschile di "lei". – **2** Periodi di dodici mesi. – **3** Prima di mangiare metto i piatti e i bicchieri a .... – **4** – **5** Un posto per professori e studenti. – **6** Tribunale Amministrativo Regionale. – **7** 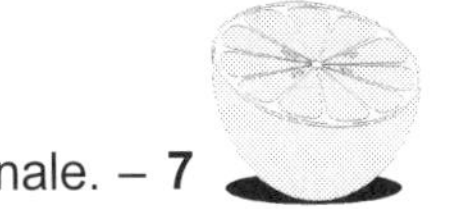 – **8** 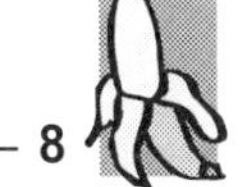 – **10** "Qual è la tua opinione?" "Secondo ....., hai ragione tu". – **14** Prendi ancora un po' .... pesce? – **15** Tu e lui. – **18** Il contrario di "brutto". – **20** Il pesce vive .... mare. – **22** Il contrario della "fine". – **25** – **28** Il numero tra "otto" e "dieci". – **30** Lima è la capitale .... Perù. – **31** Domani vado al cinema .... Maria. – **32** Associazione Dottori Pediatri. – **33** La capitale della Norvegia è ......o. – **34** Io e te. – **36** Loro bevono, lui beve, ... bevo. – **38** Europa Unita.

Orizzontali

1 Questa sera vado ...... cinema. - **3** **- 6** Posso avere un .... d'acqua? - **9** Questo maglione è di pura .... vergine. - **10** Voglio telefonare .... miei amici. - **11** Ci puoi mettere le mani, le chiavi o le sigarette **- 12** Io morivo, tu morivi, loro .... - **14** Il giorno prima di domani! - **17** Italiana Petroli. **- 18** Rabat Casablanca e Marrakesh sono in Ma............

-19  **- 22** **- 23** In architettura c'è quello classico, moderno, gotico o barocco. - **24** "........ Karenina", è un libro di Tolstoij. - **25** Siamo part.... con il treno delle 5.00. - **26** Dov'è .... mio libro? - **27** John è americano, viene .... New York. - **28** D'estate preferisco le magliette di .... perché sono più fresche. - **30** Devo comprare .... sigarette. - **31** Il numero dopo "uno". - **32** Ieri ho dorm...... tutto il giorno.

Verticali

1 Tutte le mattine mi .... alle 8.00. - **2** La sera non mangio mai .... pasta. - **3** **- 4** Il contrario di "stretto". - **5** I fratelli del papà. - **6** **-7** Sono stanco, ho bisogno di un po' di rip...... - **8** - **11** Firenze è una bella cit...... - **13** **- 15** Il contrario di "piccolo". - **16** **- 17** Irene Papas. - **20** A Roma .... sono molte chiese. - **21** Do, ..., mi, fa, sol, la, si do. - **22** Però. - **23** Voi state, loro stanno, io .... - **25** Istituto Commercio Estero - **29** Extra-Terrestre.

I	B	A	U	L	P	O	A	I	C	A
R	U	C	D	O	N	N	A	E	A	O
M	O	N	N	O	N	C	R	A	L	L
A	N	A	U	O	N	A	T	N	O	L
R	A	B	G	A	T	T	O	L	B	A
T	S	T	A	N	I	T	T	A	M	V
S	E	A	A	C	H	I	E	S	A	A
E	R	C	P	B	I	V	R	O	B	C
N	A	L	L	E	R	O	S	O	L	E
I	R	E	I	P	R	A	N	Z	O	V
F	U	L	O	G	R	E	B	L	A	O

Trova le parole.

albergo
bacio
bambola
banca
bar
barba
buonasera
buono
cantare
lontano
cavallo
chiesa
ciao
città
donna
finestra
gatto
gonna
ieri
mattina
nonno
notte
pranzo
sapere
sole
sorella
zoo
cattivo

Scrivi sotto ogni disegno la parola giusta.

....

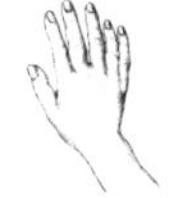    

....

Soluzioni pag 46.

Orizzontali

1 – **3** L'arte del vestire. – **7** Questo palazzo ha dieci ...., ma non ha l'ascensore. – **8** Quanti anni .... tuo figlio? – **9** Una terra in mezzo al mare. – **12** – **13** Artisti Associati. – **14** Un tempo di sessanta minuti. – **16** Marco è .... un metro e ottanta. – **17** Queste sono le fotografie .... mio viaggio. – **19** – **21** Non sto bene, mi fa .... un dente. – **22** Il nome della Haiworth, diva del cinema. – **23** Lisbona è la capitale .... Portogallo. – **24** Tu ...., noi abbiamo, voi avete. – **26** Il caffè è pronto, spegni il ...., per favore. – **27** Poste e Telegrafi. – **28** Per andare a Firenze prendo .... treno delle 9.00. – **29** Gli uccelli possono .... perché hanno le ali. – **31** .... mi chiamo Carlo, e tu? – **32** Io, tu, ..., lei, noi, voi, loro. – **34** Lui ...., noi amiamo, voi amate. – **35** Unione Europea. – **36** – **37** Marilyn Monroe aveva i capelli .... – **39** Oceano Atlantico. – **40** Ciao Giulia, come ....? – **41** Il contrario di "sempre".

Verticali

1 Io, tu, lui, lei, ..., voi, loro. – **2** Io ...., noi stiamo, voi state. – **3** Ugo e Leo non stanno bene, sono molto .... – **4** Il numero "uno" in inglese. – **5**

– **6** Kurt è tedesco, viene .... Berlino. – **7** Mia madre e mio ....dre sono sposati da 25 anni. – **8** Albergo. – **10** Il tempo tra il pomeriggio e la notte. – **11** Giorgio è .... studente più bravo della classe. – **13** Per prendere il treno vado .... stazione. – **14** – **15** Fa molto caldo: .... la finestra, per favore. – **16** Io ho due figli: uno si chiama Paolo e l'....... Carlo. – **17** Paul viene .... Canada. – **18** Il contrario di "veloce". – **20** Esercito Italiano. – **21** Un periodo di quattro settimane. – **23** Io darò, tu ...., lui darà. – **25** Devi telefonare .... tue amiche. – **26** – **27** – **29** Il contrario della "morte". – **30** Prendiamo l'autobus o .... macchina? – **33** Quattro, tre, due, ... – **35** La mattina mangio solo .... mela. – **36** Io lavoro a Napoli ma sono .... Roma. – **38** Ospedale Militare.

Orizzontali

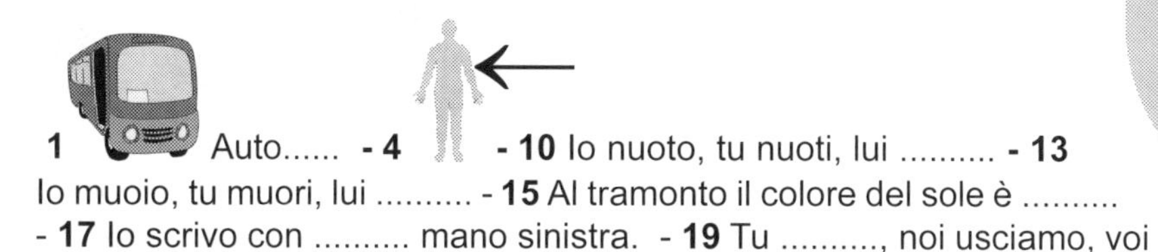

1 Auto...... **- 4** **- 10** Io nuoto, tu nuoti, lui .... **- 13** Io muoio, tu muori, lui .... - **15** Al tramonto il colore del sole è .... - **17** Io scrivo con .... mano sinistra. - **19** Tu ...., noi usciamo, voi uscite, loro escono. **- 21**

22 **- 24** La domenica ...... sveglio tardi. - **25** ......pelli. - **26** Quando è festa porto sempre molti regali .... bambini. - **27** Agenzia Turistica. - **28** Il contrario di "magre".- **31** **- 33** Mattine, pomeriggi, sere e .... **35** Il giorno dopo oggi!

Verticali

2 Io ho ....'amica giapponese. - **3** Mia, tua, ..., nostra, vostra, loro. - **4** Ogni mese metto un po' di soldi sul mio conto in .... **- 5** Io amo, tu ...., lui ama. - **6**

- 7 Marco esce sempre .... Rita. - **8** Sono stanco, voglio dorm..........! - **9** Ovest-Est.

- 11 **- 12** Ci puoi mettere le mani, le chiavi o il portafoglio. **- 14** Voglio studiare .... tedesco e l'inglese. - **16** Sul tavolo .... sono due bicchieri. - **18** Noi abitiamo a Firenze e Marco .... a Milano. - **20** "Vuoi un wiskhy?" "No grazie, ... bevo alcoolici". - **22** Il palazzo dove abito è molto alto, ha trenta .... - **23** **- 24** **- 26** Michelangelo e Raffaello sono due grandi ....tisti. - **28** Non vengo al cinema perché ho .... visto quel film. - **29** Io ...., noi sappiamo, voi sapete, loro sanno. - **30** ExtraTerrestre. - **32** Sinistra Democratica. **- 34** .... ho trentadue anni, e tu?

Orizzontali

1  Un'isola italiana.

5 Una risposta positiva.

7 

8 "Buongiorno" tra amici.

9 Alleanza Democratica.

10 

11 La moneta italiana.

12 Il capo della chiesa cattolica.

14 Artisti Associati.

15 Una città del sud, molto famosa per la pizza.

18 "Vuoi mangiare qualcosa?" "No grazie, ... ho fame".

20 Noi sappiamo, voi sapete, io ....

21 Educazione Demografica.

23 A che ora .... svegli la mattina?

24 Vuoi .... al cinema con me domani sera?

26 Loro fanno, io faccio, ... fai.

27 Mustafa viene .... Marocco.

28 Marcello Mastroianni è stato un famoso .... italiano.

30 Noi amiamo, loro amano, lui ....

31 Voglio vedere .... foto delle vacanze.

32 Il contrario di "sì".

Verticali

1 

2 La mattina vado a scuola e .... pomeriggio studio a casa.

3 Un famoso "latin lover" di molto tempo fa.

4 Sofia, grande attrice italiana.

5 La più famosa chiesa di Roma.

6 Noi dobbiamo, loro devono, ... devo.

7 L'Aids è una .... molto grave.

8 La persona che comanda.

13 Domenica prossima vado .... mare.

16 I cinque continenti sono: Europa, America, Africa, Oceania e ....

17 

19 I pesci vivono ....'acqua.

22 Il numero tra "uno" e "tre".

25 ExtraTerrestre.

27 Abito a Roma .... dieci anni.

29 Opera Nazionale.

Metti le parole sotto il disegno giusto.

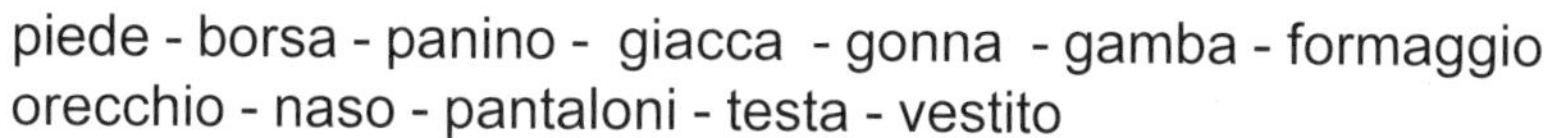

piede - borsa - panino - giacca - gonna - gamba - formaggio
orecchio - naso - pantaloni - testa - vestito

     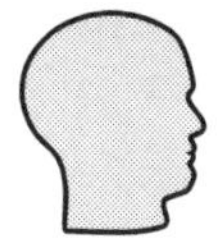

....

....

Soluzioni pag 46.

Metti vicino a ogni parola il suo contrario, come nell'esempio.

allegro - giovane - alto - leggero - buono - ***caldo*** *- lungo - bello*

1) **freddo**	→	**caldo**	5) vecchio	....
2) basso		....	6) pesante	....
3) corto		....	7) cattivo	....
4) brutto		....	8) triste	....

Soluzioni pag 46.

Orizzontali

1 ...., tuo, suo, nostro, vostro, loro.
3 Dieci, undici, dodici e ....
8 Voglio fare una domanda .... professore.
10 La capitale d'Italia.
12 Il documento per viaggiare in altri paesi.
15 La sorella della mamma.
16 Il mio indirizzo è v...... del Pantheon n.14.
17 Il papà del papà.
19 Alberto è .... ragazzo molto simpatico.
20 Io sono italiano, e tu .... dove sei?
21 "Che .... fai?" "Sono un insegnante".
24 Mille (1.000), diecimila (10.000), ... (100.000), un milione (1.000.000).
27 Io ...., tu vuoi, lui vuole.
28 Io uso, tu usi, lui ....
29 .... sci è uno sport invernale.
30 Artisti Associati.
31 "Buongiorno" tra amici.

Verticali

1 Il terzo mese dell'anno.
2 .... marito di Carla si chiama Dario.
4 Io ero, tu eri, lui ....
5 Il contrario di "prima".
6 Pr......, secondo, terzo, quarto e quinto.
7 Bello, grazioso, simpatico.
9 Questa è .... mia famiglia.
11 Il contrario di "sopra".
12 
13 In albergo posso prendere una camera .... o doppia.
14 La chiesa di .... Pietro è a Roma.
18 Si mette nell'insalata con il sale.
19 
20 Io ...., noi dobbiamo, voi dovete, loro devono.
22 Domani voglio andare .... mare.
23 Gli italiani mangiano molta pasta, i cinesi mangiano molto ....
25 TeleGiornale.
26 ...., tua, sua, nostra, vostra, loro.
28 Unione Albergatori.

1	2	■	3	4	5		6	7	8	9	
■	10	11				■	12				■
13						14					
15		■		■	16		■	■	17		■
18		■	19					20	■	21	22
■	23	24		■	25		■	26	27	■	
28				29		■	30			31	
	■	■	32		■	■	33		■	34	
35		■	36					■	37		

Orizzontali

1 Io e Piero siamo .....ici da molti anni.
3 Il giorno prima di giovedì.
10 Il plurale di “amore”.
12 Al bar posso mangiare un dolce o .... un caffè.
13 Se voglio riservare un posto sul treno devo fare una ....
15 Istituto Tecnico.
16 Andata-Ritorno
17 ExtraTerrestre.
18 Unione Europea.
19 Quando due persone si sposano diventano .... e moglie.
21 Com’è .... tempo oggi?
23 Uno, ..., tre, quattro e cinque.
25 Questo aereo va .... Milano a New York.
26 “Per chi sono questi fiori?” “Sono per ...., amore mio!”
28 Il colore del latte.
30 Aldo è .... tre volte in Africa.
32 A che ora .... alzi la mattina?
33 Est-Ovest.
34 Francesco ha .... grande problema.
35 Puoi aspettare .... momento?
36  
37 Io vado, tu ...., lui va.

Verticali

2 Il giorno dopo lunedì.
3 Opera di architettura o di scultura che ricorda un fatto o un personaggio del passato.
4 Io ...., tu eri, lui era.
5 Ho perso l’autobus e così sono arrivato in ufficio con venti minuti di ....
6 Oslo-Berlino-Zurigo.
7 Lui e .... stanno molto bene insieme.
8 Uomo molto coraggioso.
9 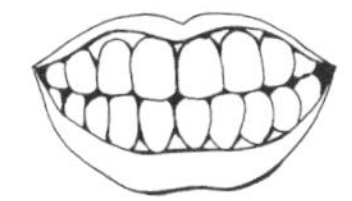
11 “Qual è la tua opinione?” “Secondo .... stai facendo un errore”.
13 Mario ha trent’anni e Luigi quaranta: Mario è .... giovane di Luigi.
14 Per vivere dobbiamo respirare l’............
20 Il numero tra “sette” e “nove”.
22 
24 Unione Automobilisti.
27 Ente Autonomo.
28 Il colore del cielo.
29 Cooperatva Italiana Consumatori
30 Tre, quattro, cinque e ....
31 Mia, ..., sua, nostra, vostra, loro.

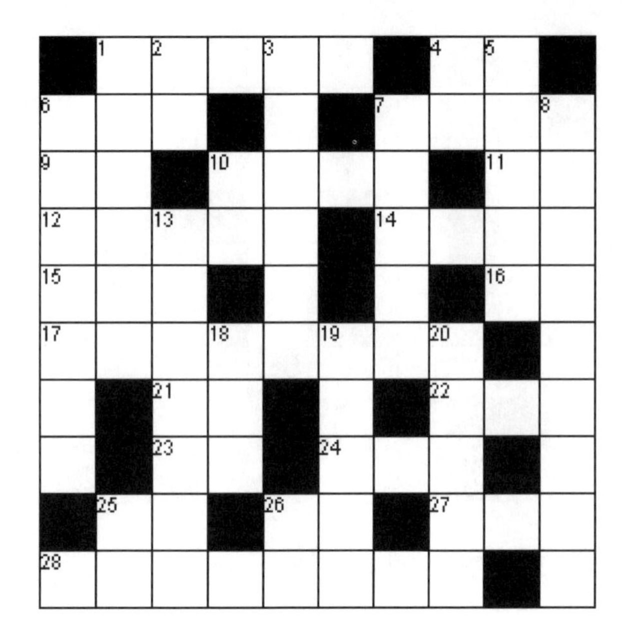

Orizzontali

1 Il Louvre è un .... molto famoso.
4 Livorno - Torino.
6 Torni a casa a piedi o .... l'autobus?
7 Viene dopo il pomeriggio e prima della notte.
9 Io ho, tu hai, lui ha, noi ....biamo.
10 Il numero tra sette e nove.
11 Chiudi la porta, p....... piacere.
12 Una grande casa con il giardino.

14  **15** 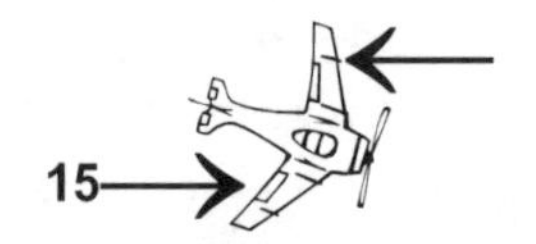

16 Questa estate voglio andare ...... America.
17 Il negozio dove compro i libri.
21 Esercito Italiano.
22 Il contrario di "sempre".
23 La bandiera italiana è verde, bianca e ....ssa.
24 Io do, tu, ..., lui dà.
25 Istituto Tecnico.
26 Nella mia città .... sono molti turisti.
27 Novantotto, novantanove e ....to.
28 Questo treno si ferma in molte ....

Verticali

1 
2 Abito in .... appartamento di tre stanze.
3 Primavera, ..., autunno e inverno.
4 .... chiavi sono sul tavolo.
5 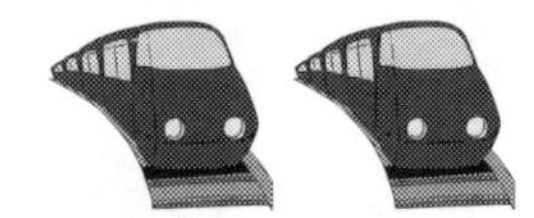
6 
7 Un uomo ricco ha molti ....
8 Il colore del sole al tramonto.
10 Nell'insalata metto l'......io e il sale.
13 I tre valori della Rivoluzione Francese sono: ...., Fratellanza e Uguaglianza.
18 .... de Janeiro è una città del Brasile.
19 
20 Io e Paolo siamo grandi ...., ci conosciamo da vent'anni.
25 Istituto Tecnico.
26 Quanti libri .... sono nella borsa?

Orizzontali

1 Caffè + latte al bar.

9 

10 Io vado, lui ...., noi andiamo.

12 

14 .... caffè non metto lo zucchero.
15 Ieri ho fin.......... di lavorare alle sette.
16 È opposto all'est.
18 Jim viene ....'Inghilterra.
20 Nei musei italiani ci sono molte opere d'.........
21 Io ...., noi amiamo, loro amano.

23 

25 Michelangelo e Raffaello sono due grandi ....
26 .... Brasile è un paese molto grande.
28 Il fratello del papà o della mamma.
29 Il mese tra luglio e settembre.

Verticali

1 La parte della casa dove preparo da mangiare.

2 

3 Partito Comunista Italiano.

4 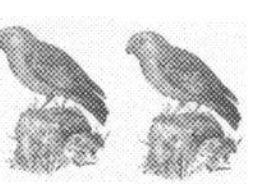

5 Pronto, ... parla?
6 Un saluto tra amici.
7 .... studio, noi studiamo, loro studiano.
8 Nord, Sud, Est, ...
11 Il contrario di "basse".
13 Agenzia Turistica.
14 Il colore più scuro.
17 Il singolare di "vari".
19 Leonardo da Vinci ha dipinto "Monna ....".
22 Il contrario di "sempre".
24 Bari-Torino-Genova.
26 Istituto Tecnico.
27 Marina parla il francese, il tedesco e .... svedese.

1		2	3	4	5	6	7		8	■
	■	9						■	10	11
12	13						■	14		
15			■		■	16	17			
	■	18			19	■	20			
21	22		■	23		24			■	■
■	25							■	26	27
28			■	■	29					

Orizzontali

2 Il mese tra agosto e ottobre.
8 Io ...., tu eri, lui era.
10 Gli italiani mangiano molta pasta, i cinesi mangiano molto ....
11 Io servo, tu servi, lui..........
13 Dipartimento Scolastico Comunale.
15 Europa Unita.

16 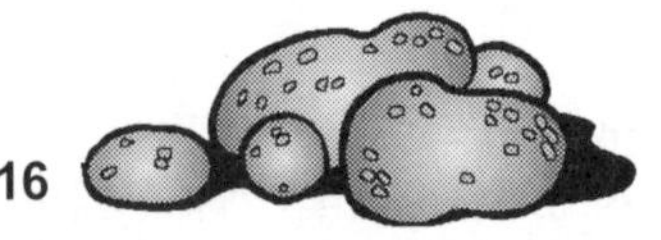

18 Per guardare la partita di calcio vado .... stadio.
19 Io vado, tu vai, lui va, voi and..........
20 Per comprare un libro vado in ....
23 Mia, ..., sua, nostra, vostra, loro.
25 Andiamo .... cinema?
26 Area, territorio.
28 Voglio un biglietto di ....data e ritorno Roma-Milano.
29 Gennaio è il .... mese dell'anno.
30 Oggi fa caldo e c'è .... sole.

Verticali

1 Cinquantotto, cinquantanove e ....
2 Io ho un fratello e una ....
3 Uno, due e ....
4 ".......... piace l'Italia?" "Sì, mi piace".
5 La stagione più calda dell'anno.
6 Il contrario di "vivere" è ".....rire".
7 Lui ...., noi usciamo, voi uscite, loro escono.
9 Il marito della regina.
12 Io voglio, tu.........., lui vuole.
13 Juan è spagnolo, viene .... Madrid.
14 Non molto normali, non comuni.
16 Tu ...., noi parliamo, loro parlano.
17 Primo, secondo, ... e quarto.
21 Per prendere il caffè vado al ....
22 ...., tu, lui, lei, noi, voi, loro.
24 L'elefante è .... animale molto grande.
27 Faccio la spesa .... mercato.

1	2	3	4		5	6		■	7	
8				■	9		■	10		■
11			■	12			13		■	14
15			16			■	17		18	
	■	19		■	20	21				
22	23	■	24	25				■	■	
26		27				■	28	29	30	
■	31		■		■	32				■

Orizzontali

1 Il caffè del bar.
7 Non mangio .... carne perché sono vegetariano.
8 Il contrario di "bianco".
9 ExtraTerrestre.
10 Perché non parli? Sei arrabbiata con ....?
11 Il numero tra due e quattro.

12

15

17 "Quanti .... hai?" "Ventotto".
19 Organizzazione Liberale.

20

22 Noi finiamo, loro finiscono, ... finisci.
24 Ruba, prende cose non sue.
26 Ieri sera Aldo è .... al ristorante con Anna.
28 In un tipico pranzo cinese c'è sempre un piatto di ....
31 Devo dare molti soldi ...... miei amici.

32

Verticali

1 Il contrario di "uscita".
2 Mattine, pomeriggi, ... e notti.
3 La risposta a "grazie".
4 I vecchi film sono in bianco e ne......
5 Primo, ..., terzo, quarto, quinto.
6 Buongiorno, signor Moretti , come ....?
7 Tutte .... mattine prendo l'autobus alle 8.00.

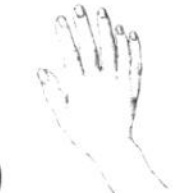

10

12 Scuola Linguistica.
13 "Fai ancora il professore?" "No, da due giorni ho cambiato ...., ora faccio la guida turistica".

14

16 Vado .... stazione e prendo il treno.
18 Napoli - Lecce.
21 Unione Romana.
23 Vuoi .... mela o un'arancia?
25 Oggi non ho mangi...... niente.
27 ".......... chi è quel libro?" "È mio!"
29 .... Vietnam è in Asia.
30 .... domani sarà una bella giornata, andremo al mare.

Vario 7

Orizzontali

1 [house] – **4** La regione di Firenze e Siena. – **10** Il contrario di "prima". – **11** Forti come la pietra. – **12** John Kennedy è morto .... 1964. – **13** Tutte le mattine faccio colazione .... bar. – **14** Lui si chiama Paolo e .... si chiama Giulia. – **15** Compact Disc. – **16** I vestiti per l'inverno sono di ...., quelli per l'estate sono di cotone. – **18** Io mi sveglio, tu ti svegli, lui si sveglia, noi .... svegliamo. – **19** [beers] – **20** Io mi a........, noi ci alziamo, loro si alzano. – **21** "Quando vai a Milano?" "......... vado domani". – **22** "Che ore sono?" "Sono .... quattro". – **23** Voi leggete, loro leggono, ... leggi. – **25** Ciao Carlo, come ....? – **27** Posso avere un .... di pane? – **28** Tu vai, loro vanno, ... andiamo. – **29** Il più grande paese del Sud America. – **32** Opera Nazionale. – **33** Io so, lui ...., loro sanno. – **34** [box] – **37** Un periodo di quattro settimane. – **39** Vie d'acqua come il Mississipi, il Rio delle Amazzoni, il Danubio, il Reno, il Nilo. – **40** Posso avere .... tuo indirizzo? – **41** Europa Unita. – **42** Io ...., tu sai, lui sa. – **43** Di solito a mezzogiorno mangio .... panino. – **44** Buenos Aires è .... Argentina. – **45** La capitale dell'Italia. – **47** Noi paghiamo, voi pagate, lei .... – **49** Medico. – **51** ...... amiche di Anna sono inglesi. – **52** Unione Ingegneri. – **53** Esercito Italiano. – **54** [bag]

Verticali

1 Il pranzo della mattina. – **2** Il contrario di "chiudere" è ".....rire". – **3** Il femminile di "solo". – **4** Loro vengono, noi veniamo, ... vieni. – **5** Un tempo di sessanta minuti. – **6** Una risposta positiva. – **7** Io ...., tu andrai, lui andrà. – **8** Ho comprato molti libri ma .... ho letto solo uno. – **9** [tree] – **10** Pedro viene dal Messico e Steven .... Australia. – **11** Io dico, tu ...., lui dice. – **15** A Roma .... sono molti monumenti. – **17** Il contrario di "sì". – **19** Noi ...., voi bevete, loro bevono. – **21** Il paese di Fidel Castro. – **24** [noses] – **26** Il contrario di "bassi". – **28** Mi chiamo Fabio Rossini: Fabio è il .... e Rossini è il cognome. – **30** In italiano per chiedere perdono dico ".........." – **31** Est-Ovest. – **33** .... domani il tempo sarà bello, andrò al mare. – **35** In molti paesi del Sud America si parla la .... spagnola. – **36** Compro la frutta .... supermercato. – **38** Voi sentite, loro sentono, lui .... – **39** Il contrario di "dentro". – **41** Io ...., tu eri, lui era. – **43** Unione Albergatori. – **44** ...., tu, lui, lei, noi, voi, loro. – **46** Non ti preoccupare per ...., sto benissimo. – **47** Non ho i soldi .... comprare una macchina nuova. – **48** Scrivo una lettera .... miei genitori. – **49** Io sono italiano, tu .... dove vieni? – **50** "Mi ami?" "Sì, ... amo". – **51** Io e Luca facciamo ...... stesso lavoro.

Vario 8

■	1	2		3		■	4	■	5	6
7			■		■	8		9		
	■	10	11		12				■	
13						■	■	14	15	■
	■		■		■	16	17			18
19	20		21	■	22					
23		■	24	25				■		■
■	26				■		■	27		28
29		■		■	30					
31							■	32		■

Orizzontali

1 Una persona molto vicina a noi.
5 .... postino porta le lettere.
7 ...., tuo, suo, nostro, vostro, loro.
8 Persone di sesso femminile.
10 Il primo mese dell'anno.

13 

14 Il contrario di "sì".
16 Al ristorante quando finiamo di mangiare dobbiamo pagare il ....
19 Pensiero, riflessione.
22 Quando un uomo e una donna si sposano, diventano .... e moglie.
23 Organizzazione Internazionale.
24 Ogni bambino ha un papà e una ....
26 Ciao Vincenzo, come ....?
27 Il primo numero.
29 Avanti Cristo.
30 La prima parola quando rispondiamo al telefono.
31 Nella mia famiglia siamo tre figli: io, mio fratello e mia ....
32 Artisti Associati.

Verticali

1 Penso sempre .... miei figli.
2 Marco e sua .... sono sposati da vent'anni.
3 Novantotto, novantanove e ....
4 Lui fa, loro fanno, ... fate.
5 Questa estate voglio andare .... Sicilia.
6 Il femminile di "lui".
7 Il mese tra aprile e giugno.
8 Richard è inglese, viene .... Londra.
9 I genitori dei genitori.
11 Ente Autonomo.
12 Una risposta negativa.
15 Settantotto, settantanove e ....
16 Stanza.
17 Un tempo di sessanta minuti.
18 Organizzione Oculisti.

20 

21 Gli uomini hanno la testa per pensare e il cuore per ....
22 Marina Militare.
25 Chiedo dei soldi .... signori Bertini.
27 Oggi è .... bella giornata.
28 Ovest-Ovest.
29 Associazione Sportiva.
30 In italiano il nome può essere singolare o .....urale.

1	2	3		4	5	6	■	7	8		9	10
11			■	12			13			■	14	
15			16		■	17				18		■
	■	19			20	■	21		■	22		23
24			■	25					26	■	27	
	■	28	29	■		■	30			31		■
■	32			■	33	34		■	35		■	36
37			■	38				39		■	40	
41		■	42			■	43			44	■	
	■	45			■	46					47	
■	48						■	49		■	50	

Orizzontali

1 Viene prima della risposta. – **7** Con "essere" è il verbo più importante in italiano. – **11** Io ero, tu eri, lui .... – **12** Il plurale di "uomo". – **14** Posso parlare con .... signor Vinci? – **15** Lui va, noi andiamo, loro .... – **17** Io vado, tu vai, voi .... – **19** "Tu di .... sei?" "Sono francese, di Parigi". – **21** Non vedo Anna .... molto tempo. – **22** United States of America. – **24** Tu sai, loro sanno, ... sappiamo. – **25** Questo treno parte da Firenze alle tre e mezza e .... a Roma alle cinque e dieci. – **27** In città .... sono molti negozi. – **28** Vieni .... cinema con noi stasera? – **30** Le banane sono gialle, le zucchine sono verdi e i pomodori sono .... – **32** "Mi ami?" "Sì, ti ....". – **33** Io odio, tu ...., lui odia. – **35** Potete fare un .... di silenzio, per favore? – **37** Giorgio è .... studente molto bravo. – **38** "............!" "Prego!" – **40** Il sabato e .... domenica non lavoro. – **41** Il contrario di "sì". – **42** Io abito con mia madre, mio padre e le .... sorelle. – **43** L'ultima lettera dell'alfabeto. – **45** Il posto dove posso prendere un caffè o un cappuccino. – **46** Il contrario di "sfortuna". – **48** Voi chiamate, loro chiamano, lei .... – **49** Lui viene, loro vengono, ... vengo. – **50** Esercito Italiano.

Verticali

1 Noi dobbiamo, voi dovete, loro .... – **2** Un tempo di sessanta minuti. – **3** Lui manda, voi mandate, noi .... – **4** Il contrario di "vecchia". – **5** Noi diamo, voi date, io .... – **6** Noi amiamo, loro amano, lui.......... – **7** Io ...., tu andavi, lui andava. – **8** Strada. – **9** Loro riescono, noi riusciamo, tu .... – **10** I pesci vivono n........ mare. – **13** Il mio .... è: via Puccini, n. 7 - 00161 Roma. – **16** "Sei italiano?" "..........., sono spagnolo". – **18** Loro stanno, ... stai, noi stiamo. – **20** Sbaglio. – **23** Scrivo una lettera .... miei amici. – **26** Noi aspettiamo, loro aspettano, io .... – **29** .... sport più popolare in Italia è il calcio. – **31** Noi sappiamo, loro sanno, io .... – **32** Noi torniamo, voi tornate, loro torn.......... – **34** .... quanto tempo conosci Giulia? – **36** Io darò, tu ...., lui darà. – **37** Roma è .... grande città. – **38** Tu giri, loro girano, lui .... – **39** Il giorno prima di oggi. – **42** Il contrario di "sempre". – **44** Associazione Urologi. – **45** Belvedere Hotel. – **46** "Che lavoro .... Carlo?" "Il medico". – **47** Compro quattro mele e .... mangio due.

Orizzontali

Vario 10

2 Io conoscerò, tu conoscerai, lui .... – **9** Noi sappiamo, voi sapete, tu .... – **11** La prima parola quando scriviamo una lettera a un amico. – **12** Io vengo, tu vieni, ... venite. – **14** – **15** Il contrario di "bene". – **16** Paulo Sergio viene .... Brasile. – **17** Abito in una villa a due ....: sotto c'è il salone, la cucina e il bagno, e sopra ci sono tre camere da letto. – **19** Il giorno dopo ieri! – **21** Radio Libera. – **22** Totale. – **24** Quando mi sveglio faccio la doccia e poi preparo .... colazione. – **26** Oggi non posso lavor.... perché non sto bene. – **28** Io mi alzo, tu ti alzi, voi .... alzate. – **29** Questi sono i miei figli e questa è .... moglie. – **31** Il contrario di "veloci". – **32** Io faccio, tu fai, lui .... – **33** Periodi di ventiquattro ore. – **35** "Mi ....?" "Sì, ti amo". – **37** Io ...., tu dai, lui dà. – **38** Io sto, tu stai, lui .... – **40** Loro dicono, noi diciamo, ... dico. – **41** Il giorno dopo oggi. – **43** – **46** Nei musei ci sono molte opere d'.......... – **47** ExtraTerrestre. – **48** A che ora .... svegli la mattina? – **50** Prima di andare a dormire si dice "buona.........!" – **52** Napoli - Ischia. – **54** Per guardare la partita di calcio vado .... stadio. – **55** ...., tu, lui, lei, noi, voi, loro. – **56** Novantotto, novantanove e ....

Verticali

1 Esempio. – **2** Il sole, la luna e le stelle sono nel .... – **3** – **4** Io so, tu ...., lui sa. – **5** Croce Rossa. – **6** Est-Ovest. – **7** Il contrario di "indietro". – **8** Le sorelle del padre o della madre. – **10** Noi amiamo, voi amate, lei .... – **13** Nell'insalata metto un po' di sale e un po' d'........ – **15** Però. – **16** Oggi è l'ultimo giorno .... mese. – **17** Riservare un posto. – **18** Per mangiare la carne uso la forchetta e .... coltello. – **20** Loro guardano, voi guardate, lui .... – **23** "È ..... quella macchina?" Sì, è mia". – **25** Una persona molto vicina a noi. – **27** Il marito della regina. – **28** Strada. – **30** Noi andiamo, tu vai, ... vado. – **32** – **34** Il papà del papà. – **36** ......, tue, sue, nostre, vostre, loro. – **39** Stop! – **41** Sul passaporto c'è il nome, il cognome, la .... di nascita e l'indirizzo. – **42** La mattina .... alzo molto presto. – **44** "Come stai?" "......, grazie". – **45** Il numero dopo sette. – **46** Ieri ho incontr.... Gino. – **49** Ugo è .... padre di Anna. – **50** Il contrario di "sì". – **51** "...... piace l'Italia?" "Sì, mi piace". – **53** Io lavoro .... banca.

D	O	D	L	A	C	E	E	E	R	A	M	I
O	Z	Z	A	G	A	R	A	R	T	O	U	N
M	O	Q	U	E	T	D	M	A	L	A	T	O
A	C	U	C	I	N	A	L	L	E	B	T	L
N	A	A	T	S	A	P	E	R	S	O	N	A
D	M	N	R	L	U	U	A	A	T	S	E	T
A	E	D	E	I	Q	D	E	P	C	C	T	N
V	R	O	N	I	N	A	P	A	R	O	L	A
L	E	C	O	A	I	O	L	O	V	A	T	P
A	M	E	N	I	C	A	M	I	C	I	A	C

Trova le parole.

andare	cinema	panino	quello	bella	**cinquanta**
pantaloni	ragazzo	bosco	cucina	parlare	scala
caldo	domanda	parola	tavolo	camere	malato
pasta	testa	camicia	mare	persona	treno
carino	padre	quando	ventitré		

I contrar

Scrivi vicino a ogni parola il suo contrario.

magro ______________________

piccolo ______________________

difficile ______________________

falso ______________________

antipatico ______________________

lontano ______________________

entrare ______________________

piangere ______________________

chiudere ______________________

sedersi ______________________

domandare ______________________

vendere ______________________

Soluzioni pag 46.

SOLUZIONI

Facile facile 1 - pag. 5

C	O	M	E		C	I	N	E	M	A	
A		A	S	I	A		O	R	A		P
N	O	M	E		N	O	I		R	T	I
E		M		A	T	O		S	E	R	A
	P	A	R	L	A		E	T		E	N
T	E			T	R	E		A	N	N	O
G	R	A	Z	I	E		V	I	N	O	

Facile facile 2 - pag. 6

V	I	A			N	O	T	T	E		O
A	L	B	E	R	O		I	O		A	G
I		B	U	O	N	A		R	I	N	G
	D	I		S		L	U	N	E	D	I
G	R	A	S	S	O		S	A	R	A	
O		M	A	O		M	O	R	I	R	E
	N	O	I		S	I		E		E	

La famiglia 1 - pag. 8

Z	I	E		P	A	S	T	A
E		S	I	A	M	O		M
	A	C		P	O	R	T	A
A	M	I	C	A		E		R
	O		I		A	L	L	E
F	R	A	T	E	L	L	I	
A	E		T		Z	E	R	O
I		C	A	S	A		A	I

La famiglia 2 - pag. 9

	U	O	M	O		F	A	
I	N		A	L	T	I		D
L		A	M	I		G	L	I
	B		M	O	G	L	I	E
C	A	S	A		D	I		C
O	R	A		D		A	M	I
N		B	U	O	N		A	
T	R	A		M	A	D	R	E
O		T	U	A		A	I	
	N	O	N	N	O		T	U
L	O		A	I		N	O	N

La casa 1 - pag. 10

A	P	P	A	R	T	A	M	E	N	T	I
	I		V	E	R	D	E			E	S
S	A	F	A	R	I		L	I	B	R	O
T	C		N		S	C	A	L	A		L
A	I	U	T	O		U			G	I	A
N		S	I		O	C	E	A	N	O	
Z	I	A		S	E	I		N	O		D
A		T	U	O		N	O	N		L	A
	C	O	N		G	A	R	A	G	E	

La casa 2 - pag. 11

G	I	A		S	E	D	I	A		S	A	
B	E	L	L	A		O		P	A	U	R	A
	R			L	U	C	E		M		M	I
P	I	A	N	O		C	A	M	E	R	A	
O		V	E	N	T	I			R	I	D	E
R	S		V	E	R	A	N	D	A		I	
T	E	L	E		E		O			P	O	I
A	R	E		A	N	I	M	A	L	E		L
	A	I		F	I	N	E	S	T	R	A	

La città 1 - pag. 12

N	E	G	O	Z	I	O		C	A	S	A		S	A	I
	N	I			T		N	O	M	I		D	E	L	L
S	T	A	Z	I	O	N	E		I		V		N	B	
	R		I	N		A	L		C	H	I	E	S	E	
C	I	A	O		D		L	E	I		C	U	O	R	E
O		L		P	O	I		R		M	I			G	
M	E	T	R	O	P	O	L	I	T	A	N	A		H	A
E		I	O		O		O		G	I	A	L	L	I	

La città 2 - pag. 13

A		B	A	N	C	A		S		D		S	T	
U	N	A		U	N		S	E	M	A	F	O	R	O
T	U	R	C	O		N	E	R	A		A	S	I	A
O	D		O	T	T	O		A	L	T	I		S	
B	O	C	C	A		N	V			O			T	U
U			A		I		I	N	C	R	O	C	I	O
S	I	N	I	S	T	R	A		E	T		I		M
		O	N	O			L	I	N	E	A		D	I
S	T	R	A	D	A		E		T		L	E	O	N
S	U	D		A	L	L		P	O	S	T	A		I

Gli animali - pag. 14

A	L			C	A	N	E		U	N
M	O	S	C	A		E	R	A	N	O
I		O		V	E	R	O		O	
C	I	T	T	A		O		G		S
O		T		L	A		V	A	D	O
	S	O		L		S	A	T		L
L	E		D	I	C	I		T	R	E
A	I	D	S		I		V	O	I	

Animali e natura - pag. 15

P	E	S	C	E		M	A	R	E
A		A	I		M	E	L	A	
S	E	I		P		S		D	I
T			B	E	N	E		I	
A	L	B	E	R	O		N	O	N
	A	L			V	I	E		O
C		U	C	C	E	L	L	O	
A	C		H	O			L		L
N	O	M	I		F	I	O	R	E
I	N		C	I	A	O		E	I

I numeri A - pag. 16

Q	U	A	T	T	R	O		V		M
U	N		A	R	O		M	E	S	I
A		S	P	E	S	A		N	E	L
R	A	E		M	A		S	T		I
A	M	I	C	I		N	U	O	V	O
N	O		A	L	T	A		T		N
T		U	N	A		S	E	T	T	E
A	N	N	I		P	O	C	O		

I numeri B - pag. 17

V	E	N	T	I	D	U	E		V	A		M
E		E	R	O		N		D	I	E	C	I
N	O	V	E		T		D	U	E		I	L
T		E	N	T	R	A	R	E		D	E	L
I	O		T	R	E			C	I		L	E
	T	R	A		D		C	E	N	T	O	
U	T		S		I	L		N		A		S
N	O		E	S	C	O		T		X		E
O		D	I	C	I		D	O	D	I	C	I

I giorni - pag. 18

P	O		M	A	M	M	A		G	I	U
E		F	A		I	O		L	R		N
S	C	O	R	S	O		T	U	A		O
C	O	R	T	E		D	O	N	N	A	
E		M	E	R	C	O	L	E	D	I	
	C	A	D	I		M	E	D	I		V
D		G	I	O	V	E	D	I		N	E
A	S	G			A	N	O		N	O	N
	C	I	A	O		I		C	O	M	E
B	U	O	N		S	C	O	O	T	E	R
U	S		N	A	T	A		S	T		D
S	A	B	A	T	O		D	I	E	C	I

I mesi - pag. 19

D	E	L		Z		A	G	O	S	T	O		G	
	C	I	A	O		L	I	N	E	A		P	E	R
G	C		P	O	S	T	A		T	I		I	N	
I	O		R		U			E	T		L	U	N	A
U		D	I	C	E	M	B	R	E		U		A	M
G		A	L	I		A	I		M	A	G	G	I	O
N	O	V	E			R	C		B	E	L	L	O	
O	R	I		A	L	Z	I		R		I	I		T
	E	S	A	T	T	O		V	E	R	O		S	U

Mangia e bevi 1 - pag. 20

A	C	Q	U	A			C	A	F	F	E		I	L
M	A		S		B	R	A	V	A		S	A	L	E
A	P	R	I	L	E		M	I		F	P			I
	P	O		O	V		E		B	I	R	R	A	
F	U	M	O		I	E	R	I		L	E		M	I
	C	A		D		S	I		P	A	S	T	A	
A	C		L	A	T	T	E		O		S	E	R	A
V	I	T	A		I		R	E	S	T	O		I	N
	N		T	A	Z	Z	A		T	U		S		N
P	O	L	I	Z	I	A		P	I	E	D	I		O

Mangia e bevi 2 - pag. 21

B	A	N	A	N	A		C	E	N	A
I	L		P	O	L	L	O		A	
C		A			G	E	L	A	T	O
C	O	N	T	O			A		U	
H		N	U		A	L	Z	A	R	E
I	T	O		C	I		I	R	A	N
E	U		S	U		N	O		L	T
R	A	P		B	U	O	N		E	R
E		O	R	A		N	E	L		O

Mangia e bevi 3 - pag. 22

	C	A	F	F	E		P	I	Z	Z	A	
B	I	R	R	A		C	A	N	I		N	C
U		I	U		B	I	S	T	E	C	C	A
	L	A	T	T	E		T	E		E		R
	E		T	I		B	A	R		N		N
M	O	D	A		S	I			P	A	N	E
E	N	I		V		S	A	L	E		A	
L	E		P	I	U		M		R	I	S	O
A		P	R	A	N	Z	O		A	L	I	

Mangia e bevi 4 - pag. 23

	L		A	L	T		F	E	S	T	A	
B	U	O	N		A	M	O		C	A	R	O
A	I		N		V	E	R	D	U	R	A	
N		V	I	N	O		M	I	O		N	B
A	N	O			L	I	A		L	U	C	E
N	E	I		M	A	N	G	I	A		I	L
A	L		N	E		I	G			D	A	L
		C	O	L	A	Z	I	O	N	E		O
G	I	O	V	E	D	I		S	O	L	E	
	O	N	E		P	O	L	L	I		U	N

I vestiti - pag. 24

A	L		C	A	L	Z	E		P	O		C
L	A	N	A		A	I		T	A	S	C	A
Z			M	O	R	I	V	A	N	O		P
O	G	G	I		G		E		T		I	P
	R	O	C	C	O		S	C	A	R	P	E
M	A	N	I			S	T	I	L	E		L
A	N	N	A		I	T	I		O		I	L
	D	A			C	O	T	O	N	E		O
L	E		D	U	E		O		I	T	O	

Il corpo 1 - pag. 26

N	A	S	O			M	O	D	A		D
O		T		P	I	A	N	I		H	A
I	S	O	L	A		L	E	T	T	O	
	E		O		A	A		O		T	
O	R	A		A	L	T	O		D	E	L
C	A	P	E	L	L	I		M	A	L	E
C		R	I	T	A		D	E	L		N
H	A	I		R		G	A	S		P	T
I	L		V	O	L	A	R	E		I	O
	L	U	I		A	M	A		U	E	
D	E	N	T	I		B	I	O	N	D	I
I		O	A		V	A		M	A	I	

Il corpo 2 - pag. 27

B	U	S			B	R	A	C	C	I	O
	N	U	O	T	A		M	U	O	R	E
I		A	R	A	N	C	I	O	N	E	
L	A		E	S	C	I		R			N
	B	O	C	C	A		P	E	T	T	O
M	I		C	A		A	I		E		N
A	T		H		G	R	A	S	S	E	
N	A	S	I		I		N	O	T	T	I
O		D	O	M	A	N	I		A		O

Italia - pag. 28

	S	I	C	I	L	I	A			S	I
M	E	L	A		O			C	I	A	O
A	D		S	T	R	A	D	A		N	
L	I	R	A		E			P	A	P	A
A	A		N		N	A	P	O	L	I	
T		N	O	N		S	O			E	D
T	I		V	E	N	I	R	E		T	U
I		D	A	L		A	T	T	O	R	E
A	M	A		L	E		A		N	O	

Vario 1 - pag. 30

M	I	O		T	R	E	D	I	C	I	
A	L		L			R	O	M	A		S
R		P	A	S	S	A	P	O	R	T	O
Z	I	A		I	A		O		I		T
O		N	O	N	N	O		U	N		T
	D	I		G		L	A	V	O	R	O
C	E	N	T	O	M	I	L	A		I	
	V	O	G	L	I	O			U	S	A
L	O			A	A		C	I	A	O	

Vario 2 - pag. 31

A	M		M	E	R	C	O	L	E	D	I
	A	M	O	R	I		B	E	R	E	
P	R	E	N	O	T	A	Z	I	O	N	E
I	T		U		A	R			E	T	
U	E		M	A	R	I	T	O		I	L
	D	U	E		D	A		T	E		E
B	I	A	N	C	O		S	T	A	T	O
L			T	I			E	O		U	N
U	N		O	C	C	H	I		V	A	I

Vario 3 - pag. 32

	M	U	S	E	O		L	T	
C	O	N		S		S	E	R	A
A	B		O	T	T	O		E	R
V	I	L	L	A		L	U	N	A
A	L	I		T		D		I	N
L	I	B	R	E	R	I	A		C
L		E	I		A		M	A	I
O		R	O		D	A	I		O
	I	T		C	I		C	E	N
S	T	A	Z	I	O	N	I		E

Vario 4 - pag. 33

C	A	P	P	U	C	C	I	N	O	
U		O	C	C	H	I	O		V	A
C	A	M	I	C	I	A		N	E	L
I	T	O		E		O	V	E	S	T
N		D	A	L	L		A	R	T	E
A	M	O		L	I	B	R	O		
	A	R	T	I	S	T	I		I	L
Z	I	O			A	G	O	S	T	O

Vario 5 - pag. 34

S		S	E	T	T	E	M	B	R	E
E	R	O		R	I	S	O			S
S	E	R	V	E		T		D	S	C
S		E	U		P	A	T	A	T	E
A	L	L	O		A	T	E		R	
N		L	I	B	R	E	R	I	A	
T	U	A		A	L		Z	O	N	A
A	N		P	R	I	M	O		I	L

Vario 6 - pag. 35

E	S	P	R	E	S	S	O		L	A
N	E	R	O		E	T		M	E	
T	R	E		S	C	A	L	A		P
R	E	G	A	L	O		A	N	N	I
A		O	L		N	U	V	O	L	A
T	U		L	A	D	R	O			N
A	N	D	A	T	O		R	I	S	O
	A	I		O		S	O	L	E	

Vario 7 - pag. 36

	C	A	S	A		T	O	S	C	A	N	A
D	O	P	O		D	U	R	I		N	E	L
A	L		L	E	I		A		C	D		B
L	A	N	A		C	I		B	I	R	R	E
L	Z	O		C	I		L	E		O		R
	I		T	U		N		V	A		P	O
N	O	I		B	R	A	S	I	L	E		
O	N		S	A		S	C	A	T	O	L	A
M	E	S	E		F	I	U	M	I		I	L
E		E		E	U		S	O		U	N	
	I	N		R	O	M	A		P	A	G	A
D	O	T	T	O	R	E		L	E		U	I
A		E	I		I		B	O	R	S	A	

Vario 8 - pag. 37

	A	M	I	C	O		V		I	L
M	I	O		E		D	O	N	N	E
A		G	E	N	N	A	I	O		I
G	E	L	A	T	O			N	O	
G		I		O		C	O	N	T	O
I	D	E	A		M	A	R	I	T	O
O	I		M	A	M	M	A		A	
	S	T	A	I		E		U	N	O
A	C		R		P	R	O	N	T	O
S	O	R	E	L	L	A		A	A	

Vario 9 - pag. 38

D	O	M	A	N	D	A		A	V	E	R	E
E	R	A		U	O	M	I	N	I		I	L
V	A	N	N	O		A	N	D	A	T	E	
O		D	O	V	E		D	A		U	S	A
N	O	I		A	R	R	I	V	A		C	I
O		A	L		R		R	O	S	S	I	
	A	M	O		O	D	I		P	O		D
U	N	O		G	R	A	Z	I	E		L	A
N	O		M	I	E		Z	E	T	A		R
A		B	A	R		F	O	R	T	U	N	A
	C	H	I	A	M	A		I	O		E	I

Vario 10 - pag. 39

Puzzle 1 - pag. 25

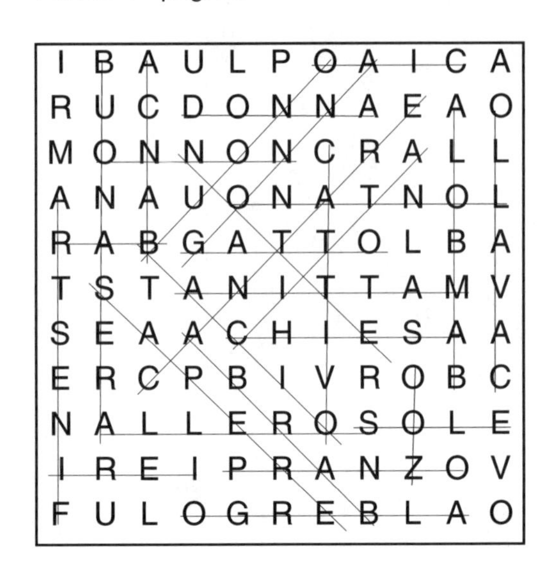

Puzzle 2 - pag. 40

Cos'è? - pag. 7
mela; arancia; uva; pera; cane; gatto; bambino; sedia; libro; penna; albero; sole; luna; pesce; cavallo, panino; casa; mucca.

La parola di troppo - pag. 16
a) medico; b) sale; c) chiavi; d) pomodoro.

Cos'è? - pag. 25
capelli; sole; occhi; casa; albero; mano; cane; gatto; libro; gelato.

Cos'è? - pag. 29
pantaloni; giacca; borsa; vestito; gonna; testa; naso; orecchio; piede; gamba; formaggio; panino.

I contrari - pag. 29
freddo/caldo; basso/alto; corto/lungo; brutto/bello; vecchio/giovane; pesante/leggero; cattivo/buono; triste/allegro.

I contrari - pag. 40
magro/grasso; piccolo/grande; difficile/facile; falso/vero; antipatico/simpatico; lontano/vicino; entrare/uscire; piangere/ridere; chiudere/aprire; sedersi/alzarsi; domandare/rispondere; vendere/comprare.

Cos'è? - pag. 41
1) a; 2) c; 3) a; 4) a; 5) b; 6) c.

PRINTED IN ITALY
la Cittadina, azienda grafica - Gianico (BS)

Alma Edizioni
Italiano per stranieri

La **Grammatica pratica della lingua italiana** permette di esercitare la grammatica in modo completo ed efficace.

Presenta centinaia di esercizi, quiz, giochi, schede grammaticali chiare ed essenziali e degli utili test a punti che aiutano lo studente a verificare il livello di conoscenza della lingua.

Adatto a tutti gli studenti dal principiante all'avanzato. Sono incluse le soluzioni.

Le parole italiane presenta moltissimi esercizi e giochi per l'apprendimento del lessico.

La prima sezione studia le parole dal punto di vista tematico (famiglia, casa, mangiare e bere, sentimenti, ecc), la seconda è dedicata alla "grammatica del lessico" (formazione delle parole, alterazione, nomi irregolari, sinonimi e contrari, prefissi e suffissi, ecc.)

Adatto a tutti gli studenti dal principiante all'avanzato. Sono incluse le soluzioni.

www.almaedizioni.it